Six Chatons

cherchent une maison

BIOGRAPHIE

Petite fille, Lucy Daniels adorait lire et rêvait d'être écrivain. Aujourd'hui, elle vit à Londres avec sa famille et ses deux chats, Peter et Benjamin. Originaire de la région du Yorkshire, elle aime la nature et les animaux, et s'échappe à la campagne dès qu'elle le peut.

ILLUSTRATIONS INTÉRIEURES : ANNIE-CLAUDE MARTIN

L'auteur remercie Sue Welford.
Conception de la collection : Ben M. Baglio
Titre original : *Kitten Crowd*

Publié pour la première fois par Hodder Children's Books, Londres, 1997

Loi n°49-956 du 16 juillet 1949
sur les publications destinées à la jeunesse.
Dépôt légal : mars 2001
ISBN : 978 2 7470 1900 2

Six Chatons cherchent une maison

LUCY DANIELS

TRADUIT DE L'ANGLAIS
PAR PASCALE HAAS

DOUZIÈME ÉDITION
bayard poche

Les héros de cette histoire

Cathy Hope a neuf ans, et une grande passion : les animaux. Un jour, elle sera vétérinaire, comme ses parents. En attendant, elle porte secours à tous les petits animaux qui l'entourent.

Adam et **Emily Hope**, les parents de Cathy, dirigent une clinique vétérinaire, l'Arche des animaux.

James Hunter est le meilleur ami de Cathy. Il partage avec elle l'amour des animaux et la suit dans toutes ses aventures.

Tom et **Dorothy Hope** sont les grands-parents de Cathy. Ils vivent au cottage des Lilas et sont toujours prêts à venir en aide à leur petite-fille.

Adam Hope
Emily Hope
Dorothy Hope
Tom Hope
Cathy
Hope
James Hunter

1

– Où cours-tu comme ça? demanda M. Simpson, le concierge de l'école, voyant Cathy Hope se précipiter vers la sortie.
– Je suis restée pour nettoyer la cage des hamsters, répondit-elle, mais j'ai oublié de dire à James que je serais un peu en retard.
James Hunter était le meilleur ami de Cathy depuis qu'elle l'avait aidé à choisir son chien, Blackie, parmi une portée de labradors. Tous les jours, ils revenaient

de l'école ensemble à vélo. Quant aux hamsters dont elle venait de s'occuper, c'étaient Terry et Jerry, qui appartenaient à la classe. Cathy les adorait. Prendre soin d'eux lui donnait l'impression d'avoir des animaux de compagnie à elle. Elle s'avança devant le tableau d'affichage. C'était l'endroit idéal pour vendre ou acheter quelque chose. L'attention de Cathy fut attirée par l'une des nombreuses annonces qui y étaient épinglées.

Qui veut adopter un CHATON ?
Contactez JOANNA GREENE,
classe de 9e,
ou téléphonez à WELFORD 706354

– Je viens juste de la mettre, dit une petite voix derrière elle.
Cathy se retourna et découvrit une fille de la classe de James.

– Ces chatons sont à toi ? demanda-t-elle.
Joanna acquiesça :
– Nous allons déménager. Mon père dit que nous ne pourrons emmener que la mère.
– Pourquoi ?
– Papa trouve que sept chats, ça ferait trop.
– Parce qu'il y en a sept ?
– Oui, Tibby a eu six chatons. Tu n'en voudrais pas un, par hasard ?
– J'aimerais bien, mais mes parents sont vétérinaires. Ils passent trop de temps à soigner les animaux des autres pour que nous puissions avoir un animal à nous.
Cathy sentit son cœur se serrer. Six petits chatons sans personne pour les aimer…
– Je vais en parler à mes amis, dit-elle.
– Tu veux bien ?
Cathy hocha la tête.
– Peut-être que mes parents connaissent

quelqu'un que ça intéresserait. Je leur demanderai.

– Merci, dit Joanna, le regard brillant.

La décision de Cathy était prise : elle ferait tout son possible pour aider Joanna à placer les chatons. Elle savait que ça n'allait pas être facile, mais elle comptait sur ses nombreux amis dans le village.

– Tu veux passer chez moi voir les chatons ? demanda Joanna.

Comment aurait-elle pu refuser pareille proposition ?

– Oui, volontiers !

– J'habite dans Meadow Lane, au n° 16. C'est juste derrière l'église.

– Est-ce que je pourrai venir avec James ?

– Bien sûr ! Tu crois qu'il voudrait en adopter un ?

Cathy secoua la tête :

– Il a déjà un chat et un chiot.

Le sourire de Joanna s'évanouit :

– Bon, tant pis… À tout à l'heure.
Joanna enfourcha son vélo et s'éloigna sur la route qui menait vers l'église. Cathy était tout excitée. Six petits chatons ! Elle était très impatiente de faire leur connaissance.

2

James attendait Cathy près de l'abri à vélos.
– Je commençais à croire que tu n'arriverais plus.
Il sauta sur son vélo.
– Le premier arrivé a gagné ! s'écria-t-il en pédalant déjà à toutes jambes.
Cathy accéléra l'allure :
– Attends-moi, James ! J'ai quelque chose à te dire !

Elle le rattrapa et lui raconta l'histoire des chatons.
– Six ! s'exclama James. Ça ne va pas être facile…
– Je sais, dit Cathy. Mais j'ai promis à Joanna d'essayer. Tu m'aideras ?
– D'accord !
Ils traversèrent le petit village de Welford et poursuivirent leur route en direction de l'Arche des animaux, la clinique vétérinaire des parents de Cathy, juste à côté du cottage où ils vivaient.
D'habitude, quand ils faisaient la course, Cathy arrivait la première. Mais aujourd'hui, elle restait derrière, incapable de penser à autre chose que les petits chats de Joanna.
– Je ne t'ai jamais vue traîner comme ça ! lui lança James.
Arrivés devant la maison de James, ils s'arrêtèrent près du portail. Blackie, posté derrière la fenêtre, attendait le retour de

son maître. Il aboya joyeusement.
– N'oublie pas de demander à tes parents… pour les chatons, lui rappela Cathy.
– C'est promis ! À plus tard !
Cathy se dirigea vers l'Arche des animaux.
Elle entra en trombe dans la clinique. Jane Knox, la réceptionniste, téléphonait. Cathy jeta un coup d'œil sur le panneau d'affichage. Il y avait déjà des annonces proposant des chatons. Sa mission s'annonçait difficile.
Dès que Jane eut raccroché, Cathy se précipita vers elle :
– Papa et maman sont là ? Je peux les voir ?
Jane regarda Cathy par-dessus ses lunettes :
– Ton père est parti faire des visites, mais ta mère est là.
Cathy fila dans la salle de soins.

Mme Hope était en train de ranger des médicaments. Ses cheveux roux étaient rassemblés en une queue de cheval, et elle portait un stéthoscope autour du cou. Sa blouse blanche de vétérinaire était posée sur la table d'examen. Elle sourit à Cathy :
– Bonjour, ma chérie. Tu as passé une bonne journée ?
– Très bonne, merci.
Elle se mit à raconter à sa mère l'histoire des chatons. Les mots se bousculaient dans sa bouche :
– … et comme ils vont bientôt déménager, il ne nous reste pas beaucoup de temps. Oh, maman, il faut faire quelque chose !
Mme Hope la regarda tendrement :
– Allons, Cathy, calme-toi. Ce genre de problème demande de la réflexion. Six chatons, tu dis ? Hum, c'est beaucoup…
Cathy se hissa sur la table d'examen :
– Je sais. Mais il y a sûrement quelqu'un

dans le village que ça intéressera... James va en parler à ses parents.
– Très bien. Plus de gens seront au courant, mieux ce sera.
– Mais que se passera-t-il si Joanna ne trouve personne à qui les donner? s'inquiéta Cathy.
Elle n'avait pas encore vu les chatons, mais elle était sûre qu'ils étaient très mignons.
Mme Hope prit un air morose:
– Je ne sais pas, ma chérie. La tâche s'annonce difficile. Welford est un tout petit village, et la plupart des gens ont déjà un animal domestique.
– C'est tout le problème, dit Cathy en soupirant.
– Tu peux mettre une annonce dans la salle d'attente, proposa Mme Hope.
– Tu veux bien? s'exclama Cathy. Je vais le faire tout de suite...
– Qu'est-ce que tu vas faire? demanda

M. Hope en entrant dans la salle de soins. Cathy sauta au cou de son père, puis lui parla des chatons.

– Eh bien…, dit-il en tripotant sa barbe d'un air pensif. Joanna espère trouver une famille pour chacun d'eux ?

– Exactement, dit Mme Hope. Pour les six !

– Si je comprends bien, nous avons affaire à un cas d'urgence, commenta M. Hope en jetant un regard complice à sa femme.

Ils avaient l'habitude de voir leur fille voler au secours de tous les animaux en détresse.

– Oui, on dirait, confirma Mme Hope en souriant.

– Je connais la famille de Joanna, reprit M. Hope. Mme Greene a amené Tibby, la mère, à la consultation quelques semaines avant qu'elle accouche de ses chatons. Elle avait besoin d'une injection

de vitamines. Je suis certain que ça leur fera plaisir que tu les aides.
– Ça fera plaisir à Joanna, dit Cathy. Elle se fait du souci pour ses chatons. Je lui ai promis de faire mon possible. Je vais commencer par écrire cette petite annonce.
Cathy repartit en courant dans la salle d'attente.
Elle demanda à Jane de lui prêter un feutre et une feuille de papier et se mit à réfléchir à ce qu'elle allait mettre dans son annonce tout en mordillant le bout du feutre d'un air songeur. Il fallait quelque chose qui attire vraiment l'attention. Elle finit par écrire :

Une bande de chatons
Six chatons tout mignons (et gratuits)
cherchent une bonne maison
Contactez Joanna Greene,
16, Meadow Lane,
ou Cathy Hope à l'Arche des animaux

Cathy tendit l'annonce à Jane :
– Vous pourriez l'accrocher sur le panneau, s'il vous plaît ?
Jane prit deux punaises et l'afficha, puis elle recula de quelques pas pour juger de l'effet.
– Tu as raison, Cathy, ton annonce ressort bien. « Une bonne maison », lut-elle à haute voix. Tu espères vraiment qu'une seule personne va adopter toute la nichée ?
Cathy soupira :
– Ce serait mieux qu'ils restent ensemble, non ? Déjà que ça va être dur pour eux de vivre sans leur mère…
– C'est vrai, mais je ne vois personne qui aurait assez de place pour accueillir six petits chats.
– Moi non plus, fit Cathy en poussant un autre gros soupir.

3

Cathy était en train de réfléchir au projet que Mme Todd, sa maîtresse, leur avait soumis au dernier cours quand son père se pencha par-dessus son épaule :

– Qu'est-ce que c'est ?

– Tout le monde va tenir un journal, expliqua Cathy. Nous le lirons ensuite devant toute la classe, et Mme Todd remettra un prix au meilleur.

– Je parie que tu vas avoir une foule d'événements à raconter, puisqu'ici il se

passe toujours quelque chose !
– C'est bien vrai ! acquiesça Cathy.
Mais, pour l'instant, ce qui l'intéressait le plus, c'était d'aller voir les chatons !
Cathy rangea la feuille dans son sac. Tant pis ! Elle commencerait son journal plus tard.
Le temps d'enfiler un jean, il était presque six heures. Cathy remonta l'allée en vitesse et frappa à la porte de James.
Dès que son ami ouvrit, Blackie se jeta sur la petite fille en remuant joyeusement la queue, puis il se mit à mordiller les lacets de ses baskets. Elle le repoussa gentiment :
– Non, Blackie ! Arrête ! Je n'ai pas envie d'avoir des lacets en petits morceaux, merci bien !
Elle attrapa le labrador par le collier :
– Assis !
Sans lui prêter attention, Blackie partit comme une flèche, s'arrêta devant un

massif de rosiers et commença à creuser. James le rattrapa et le traîna jusqu'à la maison. Il le poussa à l'intérieur et claqua la porte.
Cathy éclata de rire :
– Tu n'as pas l'air de te faire obéir !
– Pas vraiment, admit James. J'essaie, pourtant !
– Il te reste du travail, gloussa Cathy. Viens vite ! Allons voir ces chatons.
En chemin, ils croisèrent Walter Pickard, le boucher du village.
– Bonjour, vous deux, leur dit-il. Où courez-vous comme ça ?
Cathy lui demanda d'un air innocent :
– Vous ne voudriez pas un autre chat ?
Elle savait que Walter avait déjà trois chats. Alors, un de plus…
Walter secoua la tête :
– Désolé, jeune demoiselle. Mes trois chatons font assez de bêtises.
– Tant pis ! soupira Cathy.

Ils saluèrent Walter et prirent un raccourci par le sentier qui longeait l'église.

– Nous y sommes, dit Cathy en arrivant devant le n°16.

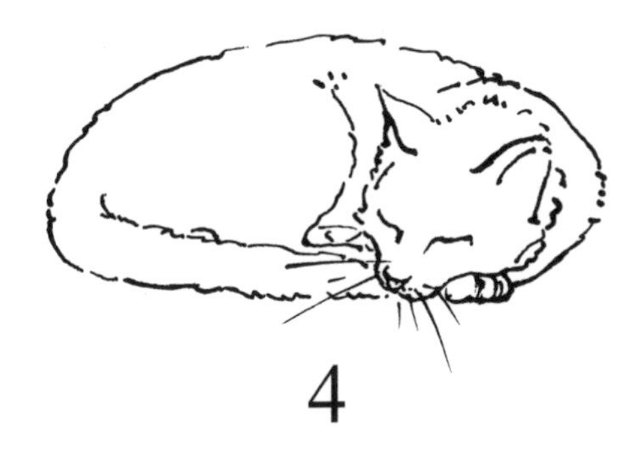

4

Les deux amis regardaient la maison, qui semblait vide, lorsque Joanna arriva sur son vélo.
– Salut ! dit-elle. Les chatons sont de l'autre côté.
Derrière la maison, il y avait une petite cabane en planches où étaient rangés des outils de jardinage et une tondeuse à gazon. Seule une fenêtre étroite laissait entrer la lumière.
Joanna se baissa pour écarter le rideau

d'un vieux placard. Dans une boîte en carton, six petites boules de poils se blottissaient contre une chatte noire toute menue.
– Oh, James, regarde comme ils sont mignons ! s'exclama Cathy.
Il y avait deux chatons noirs, deux roux, et deux noir et roux. Tous les six avaient des grands yeux magnifiques et des petits minois fripés.
James s'agenouilla à son tour.
– Ils sont vraiment adorables, chuchota-t-il.
– Est-ce que Tibby accepte qu'on caresse les chatons ? demanda Cathy à Joanna.
Elle savait qu'une chatte qui vient de mettre bas n'aime pas qu'on touche à ses petits.
– Oui, elle veut bien, acquiesça Joanna.
Elle prit un chaton et le tendit à Cathy.
– Tiens, un roux. Et voilà pour toi, James, un tout noir !

Cathy serra le petit chat contre sa poitrine, et il miaula doucement en s'agrippant à elle de ses griffes minuscules.
– Oh, ils sont trop mignons, murmura Cathy.
À la vue de ces six petites boules de poil aux petites oreilles et au museau parfaitement dessiné, son cœur se serra.
Tibby miaula faiblement quand Cathy remit son petit dans la boîte pour prendre un des chatons noir et roux. En le caressant délicatement, elle sentit les os fragiles de sa tête et de ses membres.
– Tu crois qu'ils ont assez chaud, ici? demanda Joanna.
Elle savait qu'il était important de garder les chatons et leur mère dans un endroit chaud et sec, et elle n'était pas certaine que cette cabane le soit.
– Quand ils sont nés, je les ai gardés à la maison, dans le placard sous l'escalier,

expliqua-t-elle. Mais maman a tout débarrassé.

Cathy se mordilla la lèvre. Une vieille boîte en carton humide n'était pas un berceau idéal pour des chatons nouveau-nés ! Ils avaient beau paraître en bonne santé, elle aurait préféré qu'ils soient dans une pièce bien chauffée.

– Quel âge ont-ils ? demanda-t-elle.

– Presque six semaines. Est-ce qu'ils sont assez grands pour être confiés à quelqu'un ?

– À peu près. En général, on les enlève à leur mère vers six ou sept semaines.

Joanna soupira tristement :

– Je ne sais pas ce qu'on va faire d'eux. Au fait, tu as demandé à tes parents ?

Cathy remit le chaton dans la boîte et se redressa.

– Ils ne voient pas qui pourrait les adopter, mais j'ai mis une annonce dans notre salle d'attente.

– Nous déménageons samedi, dit Joanna.
– Samedi ! s'exclama James. Jamais nous n'arriverons à leur trouver des familles d'ici là !
Cathy le foudroya du regard :
– Mais si, bien sûr que si…
Cathy borda soigneusement la mère et les chatons avec la couverture. Les soucoupes posées près de la boîte étaient vides.
– Tibby a besoin de lait, dit-elle. Il faut aussi lui mettre de l'eau fraîche pour qu'elle puisse boire.
– Oh, j'ai oublié ! s'excusa Joanna. Il a fallu que j'aide maman…
– Va en chercher maintenant ! insista Cathy.
Trouver des foyers à six chatons en pleine forme, ce n'était déjà pas simple, alors, six chatons affamés…
– Je ne crois pas qu'ils soient très heureux ici, remarqua James d'un air

inquiet pendant qu'ils attendaient le retour de Joanna.
– C'est vrai, fit Cathy. Plus vite ils auront un toit, mieux cela vaudra.
– Est-ce que tu as demandé à tes grands-parents ?
– Non, mais nous allons passer chez eux au retour. Mamy connaît du monde. Qui sait !

5

Dès que la chatte eut bu, Cathy et James dirent au revoir à Joanna.
– À demain, dit Cathy. J'aurai peut-être de bonnes nouvelles.
– Je l'espère, soupira Joanna.
Les deux amis se dirigèrent vers le cottage des Lilas, où habitaient les grands-parents de Cathy.
Son grand-père était dans le jardin. Il désherbait un parterre de fleurs.
– Bonsoir, les enfants ! lança-t-il en

repoussant sa casquette en arrière. Mamy prépare des gâteaux. Vous avez été attirés par l'odeur ?
Cathy embrassa son grand-père.
– Aujourd'hui, ta grand-mère s'est surpassée, poursuivit Papy. Elle a fait des gâteaux pour toute une armée.
– Il y a une fête au village ? demanda James.
– C'est pour Westmoor House, la maison de retraite. Une des pensionnaires fête ses cent ans cette semaine.
– Ouah ! s'exclama James. Une centenaire !
– Telle que je connais Mamy, elle a dû préparer une centaine de gâteaux ! dit Cathy.
Sa grand-mère était dans la cuisine, au milieu d'innombrables plateaux et d'une montagne de vaisselle.
– D'où venez-vous ? demanda-t-elle en s'essuyant les mains et en sortant du

réfrigérateur un pot de limonade maison. Cathy raconta une fois de plus l'histoire des chatons.

– Et si vous en preniez un, Mamy ? Ils sont adorables ! Juste un.

– Je regrette, Cathy. Tu sais bien que nous partons souvent en voyage.

– Je pourrais m'en occuper pendant votre absence, suggéra Cathy.

Sa grand-mère secoua la tête :

– Désolée, ma chérie. Quand on possède un animal, on en est responsable. Il ne faut pas compter sur les autres.

Cathy soupira ; Mamy avait raison. Elle s'assit, les coudes sur la table, le menton entre les mains :

– Tu pourrais peut-être en parler à tes amis ?

Sa grand-mère la serra dans ses bras :

– Bien sûr. Ne prends pas cet air catastrophé. Tout finira par s'arranger !

– Qu'est-ce qui va finir par s'arranger ?

demanda Papy en entrant dans la cuisine.
– Nous cherchons des foyers à des chatons, répondit Cathy.
– Oh ! fit Papy en prenant un biscuit tout chaud.
– Bas les pattes ! dit Mamy avec autorité. Il n'y en aura plus assez pour la fête.
– Quelle rabat-joie ! rétorqua Papy en faisant un clin d'œil aux enfants.
Il regarda la pendule :
– C'est l'heure du match de cricket à la télévision. Tu viens avec moi, James ?
Cathy resta dans la cuisine, l'air abattu.
– Combien de temps as-tu pour trouver des familles à ces chatons ? lui demanda sa grand-mère.
– Seulement deux jours, répondit Cathy. Les propriétaires déménagent samedi.
– Samedi ! répéta Mamy. Alors, il faut se bouger. Après avoir livré ces gâteaux, je dois aller à une réunion de l'Association

des femmes de Welford. Si tu veux, j'en parlerai.

– Merci, Mamy. Tu es géniale !

Sa grand-mère la regarda par-dessus ses lunettes :

– Attendons de voir le résultat !

Une fois les gâteaux emballés, Cathy et James aidèrent Papy et Mamy à les transporter dans la voiture.

– Nous pouvons te déposer chez toi au passage, proposa Papy à sa petite-fille. D'ailleurs, il faut que je voie ton père cinq minutes. Tu veux qu'on te raccompagne aussi, James ?

– Oui, merci.

Ils passèrent d'abord chez James, que Blackie attendait impatiemment, le bout du nez passé entre les barreaux du portail.

– Ce chien est de plus en plus costaud, remarqua Papy.

– Et de plus en plus désobéissant... À demain, James ! cria Cathy à son ami lorsqu'il remonta l'allée, Blackie sur ses talons.

Au moment où ils arrivèrent à l'Arche des animaux, Emily Hope s'apprêtait à partir en visite.

– Ton père a été appelé pour une urgence, dit-elle à Cathy.

– Si ça t'arrange, Cathy peut venir avec nous, proposa Mamy en passant la tête par la fenêtre de la voiture. Et ensuite, nous resterons avec elle en attendant votre retour.

– Ce serait gentil, dit Mme Hope. Tu veux bien, Cathy ?

– Oui, maman. Je pourrai aider Papy et Mamy à décharger les gâteaux.

6

Westmoor House se trouvait à deux kilomètres du village. C'était une grande demeure victorienne qui avait été reconvertie en maison de repos pour les personnes âgées, où vivaient vingt-quatre pensionnaires.

Papy se gara devant la porte d'entrée. Cathy descendit de voiture et alla sonner. Une femme grande et mince, vêtue d'un tailleur gris, ouvrit la porte et regarda Cathy d'un air surpris.

– Je suis Cathy Hope. Je viens avec mes grands-parents vous apporter des gâteaux pour la fête.
– Oh, formidable ! Je suis Della Skilton, la directrice. Nos pensionnaires vont être ravis. Entre, s'il te plaît.
Cathy regarda autour d'elle. Une énorme cuisinière trônait au fond de la pièce. Par la fenêtre, Cathy aperçut un grand jardin avec des pelouses et des massifs de fleurs. Deux vieilles dames étaient assises là, profitant de la douceur de la soirée.
– Quand a lieu la fête ? demanda Cathy.
– Samedi. Ça va être une surprise pour Mme Brown.
– J'adore les fêtes, s'exclama Cathy. Surtout les surprises !
– Alors, tu pourrais peut-être venir ? proposa Della. Tout le monde sera content de te connaître.
– J'aimerais bien, dit Cathy, mais samedi je ne suis pas libre.

Elle venait de penser aux chatons : c'est samedi que la famille de Joanna devait déménager.
– Je suis désolée. Je préférerais venir un autre jour.
Della lui sourit :
– Viens quand tu voudras. Les pensionnaires aiment beaucoup voir des jeunes. Certains n'ont aucune famille. Parfois, ils se sentent un peu seuls.
Cathy éprouva une soudaine tristesse. Ce devait être terrible de ne pas avoir de famille. Elle, elle avait de la chance : elle avait sa mère, son père, ses grands-parents... Et aussi James, et plein d'amis à l'école. Il y avait également Blackie et Benji, et puis les chats de Walter, les hamsters de la classe, ainsi que tous les autres animaux qu'elle connaissait.
– Je reviendrai dès que possible, promit-elle.
Quand toutes les boîtes de gâteaux et de

biscuits furent entreposées dans la cuisine, Della raccompagna Cathy et ses grands-parents jusqu'à la porte.

Lorsqu'ils arrivèrent à l'Arche des animaux, les parents de Cathy n'étaient pas encore rentrés.

– C'est bientôt l'heure de te coucher, dit Mamy. Monte vite te mettre en pyjama. Pendant ce temps, je vais te préparer un bon chocolat chaud. Et ensuite, je filerai à ma réunion.

– Merci, Mamy.

Cathy embrassa sa grand-mère et monta se déshabiller. Elle attrapa le gros ours en peluche qui trônait sur son lit et le serra dans ses bras. Puis elle sortit une feuille de son cartable et la regarda d'un air songeur. Elle aurait des tas de choses à confier à son journal : la découverte des chatons, la rencontre avec la mère et ses six petits, la visite à la maison de retraite... Elle écrirait tout cela avant de s'endormir.

En bas, Papy regardait la télévision. Cathy s'installa par terre à côté de lui en sirotant son chocolat. Elle pensait aux chatons.

Papy se mit à rire.

– Des chiens-compagnons ! s'exclama-t-il en montrant du doigt l'écran. Tu as déjà entendu parler de ça ?

– Des quoi ?

– Des chiens-compagnons. Ce sont des chiens qu'on amène dans les hôpitaux ou les maisons de retraite pour tenir compagnie aux gens.

Cathy fronça les sourcils :

– Pour quoi faire ?

– Eh bien, on s'est rendu compte que les gens sont beaucoup plus heureux quand ils ont des animaux à choyer. Alors, on fait venir des chiens doux et gentils pour que les malades ou les pensionnaires se sentent mieux.

Cathy retint sa respiration. Quelle idée

fantastique ! Tout le monde savait qu'on était plus heureux quand on avait un animal à soi. Elle repensa aux personnes âgées de Westmoor House. Elles seraient sûrement ravies d'avoir…

Son cœur se mit à battre plus fort. Oui, c'était une bonne idée. Des chiens-compagnons… et pourquoi pas des chats-compagnons ?

Elle se tourna vers son grand-père, toute joyeuse :

– Papy, merci de m'avoir aidée !

7

– Tu comprends ? dit Cathy lorsqu'elle eut exposé son plan à son grand-père. Je suis sûre que les personnes âgées adoreraient avoir un chat.

– Tu as raison. Les chats sont d'excellents compagnons. Mais six d'un coup ?

– Mais puisqu'ils sont vingt-quatre pensionnaires ! Ça ne ferait jamais qu'un quart de chat par personne ! insista Cathy.

Papy éclata de rire, puis il dit :

– Pourquoi ne pas poser la question à

Della ? Comme dit ta grand-mère, qui ne demande rien, n'a rien.
Cathy se releva d'un bond :
– Je vais lui téléphoner !
– Non, pas maintenant, jeune demoiselle. Pour l'instant, il est l'heure de dormir.
– Mais, Papy, je…
– Désolé, Cathy ! Demain, il y a école.
– Bon, d'accord… Va pour demain.

Cathy s'installa dans son lit et commença à rédiger son journal. Mais, après avoir inscrit en haut de la page : Premier jour, elle ne trouva rien d'autre. Elle pensait aux chatons. Elle avait beau faire, elle ne pouvait pas s'empêcher de les imaginer dans leur vieille boîte en carton. « Pourvu que la directrice de la maison de retraite trouve que l'idée de chats-compagnons est bonne ! » Il ne restait plus que deux jours pour trouver une solution.

Le matin, au petit déjeuner, Cathy fit part de son plan à ses parents. Sa mère eut l'air inquiet :
– Comment feront-ils pour s'occuper de six chatons ? Des chats adultes, c'est une chose, mais des chatons !
– Mais il y a un grand jardin là-bas, insista Cathy. Ils auront de la place.
– Tu ferais mieux de parler à Della avant de t'emballer. Et promets-moi de ne pas être trop déçue si elle refuse, ajouta Mme Hope en voyant l'expression radieuse de sa fille.
– Promis, répondit Cathy, qui n'admettait pas une telle possibilité.
À l'heure de partir à l'école, elle rejoignit James devant le portail. Elle lui expliqua son nouveau plan :
– Nous pourrions nous cotiser pour leur acheter une écuelle à chacun. Et je suis sûre que Papy voudra bien leur fabriquer une grande caisse.

– Ma mère va leur trouver une couverture, renchérit James. Enfin, s'il en reste une que Blackie n'a pas encore déchiquetée…

– Maman dit qu'ils ne pourront peut-être pas s'occuper des six, poursuivit Cathy. Mais ce serait tellement mieux que toute la famille reste ensemble !

– Oui, bien sûr, répondit James d'un air pensif. On irait les aider après l'école…

– Je sais prendre soin des chatons ! C'est facile. Ils ont besoin d'un endroit où dormir, de la nourriture, et il faut changer leur litière tous les jours.

– Alors, c'est parfait ! coupa James. Il n'y a plus de problème.

– Génial ! Della a dit que je pouvais passer quand je voulais. On va lui en parler !

Devant l'école, ils aperçurent Joanna.

– Est-ce que quelqu'un t'a téléphoné pour les chatons ? lui demanda Cathy.

Joanna parut triste :
– Non. Et à vous ?
Cathy échangea un bref regard de connivence avec James. Mieux valait ne rien dévoiler à Joanna avant d'avoir parlé à Della :
– Non. Mais ma grand-mère et mes parents se renseignent.
– Les miens aussi, ajouta James.
En classe, Mme Todd dut rappeler à Cathy que regarder par la fenêtre n'aidait pas vraiment à apprendre les mathématiques…
– Qu'est-ce que tu as, Cathy ? Tu n'as pas l'air dans ton assiette.
– Excusez-moi… J'ai des soucis.
– Eh bien, j'espère que demain tu seras plus concentrée sur ton travail.
Cathy n'en était pas sûre. Elle savait qu'elle aurait du mal à penser à autre chose tant qu'elle n'aurait pas trouvé une solution pour les chatons. Il lui tardait de

rentrer chez elle pour téléphoner à Westmoor House.

Après les cours, Joanna rattrapa Cathy.

– Personne ne veut de mes chatons, dit-elle, sur le point de pleurer. J'ai demandé à tout le monde ! Et mon père m'a prévenue qu'il allait devoir s'en débarrasser.

– S'en débarrasser ? répéta Cathy, horrifiée.

Joanna éclata en sanglots. Cathy passa un bras autour de ses épaules :

– Ne pleure pas ! James et moi, on a un plan. Je ne peux rien te dire pour l'instant, mais je te promets de tout te raconter dès que possible.

– Il faut faire quelque chose avant qu'il ne soit trop tard, dit Joanna en reniflant de plus belle. C'est déjà assez dur comme ça de quitter mes amis... Alors, si je dois en plus me débarrasser de mes chatons...

Cathy sortit de son sac un mouchoir et le

tendit à Joanna. La petite fille se moucha bruyamment.

– Tâche de ne pas te faire de souci, lui dit Cathy.

– Je vais essayer. Et merci pour tout !

8

En rentrant chez elle avec James, Cathy était d'humeur morose. Dire à Joanna de ne pas se faire de souci était une chose ; ne pas s'inquiéter elle-même, c'en était une autre…

Une fois devant la maison, elle se précipita vers l'Arche des animaux.

Mme McFarlane, la postière, était assise dans la salle d'attente, une cage sur les genoux. À l'intérieur, il y avait une perruche verte aux plumes tout ébouriffées et à l'air triste.

– Oh ! fit Cathy en se penchant vers l'oiseau. Qu'est-ce qui arrive à Sparky ?

Elle passa un doigt entre les barreaux de la cage. La perruche ne réagit pas.

– Je ne sais pas, dit Mme McFarlane.

– Peut-être qu'elle se sent seule, suggéra Cathy. Il lui faudrait un ami.

Elle faillit proposer un chaton pour lui tenir compagnie, mais se ravisa. Les perruches et les chatons n'avaient jamais fait bon ménage !

Mme McFarlane soupira :

– Un ami ?

– Oui. À l'état sauvage, les perruches vivent en bande.

– Tu as sans doute raison. Je vais voir ce que ta mère en pense.

Cathy se redressa :

– Dites-moi, vous ne connaîtriez pas quelqu'un qui voudrait adopter un chaton ?

– Je regrette, Cathy, dit Mme McFarlane. Je ne crois pas que la pauvre Sparky apprécierait la présence d'un chaton. Mais j'en parlerai à mes clients.
– Est-ce que quelqu'un a lu ma petite annonce ? demanda Cathy à la réceptionniste.
– Une ou deux personnes.
– Avec un peu de chance, je leur aurai peut-être trouvé un foyer ce soir !
– À tous les six ? s'exclama Jane en haussant les sourcils.
– Oui, dit Cathy avec un sourire.
Elle ressortit en courant et entra en trombe dans la maison. Elle jeta son cartable dans l'entrée, chercha le numéro de Westmoor House dans l'annuaire et se rua sur le téléphone.
– Allez, répondez, grommela-t-elle entre ses dents. Dépêchez-vous !
– La directrice est sortie, dit enfin une voix de femme au bout de la ligne.

Cathy sentit son cœur s'emballer. Chaque minute était précieuse. Chaque heure qui passait rapprochait les chatons du moment terrible où le père de Joanna allait « se débarrasser » d'eux.

– Et quand sera-t-elle de retour ? demanda-t-elle avec inquiétude.

– Vers 7 heures.

– Je rappellerai.

Cathy reposa le combiné en soupirant. Elle jeta un coup d'œil sur la pendule : deux heures et demie à attendre…

En rentrant un peu plus tard, Mme Hope trouva sa fille installée à la table de la cuisine en train d'écrire son journal.

Cathy leva les yeux :

– Alors, tu as trouvé de quoi souffrait Sparky ?

– Oh, elle avait juste besoin d'un petit remontant, répondit sa mère. Mme McFarlane a décidé de lui trouver un compagnon.

– Tant mieux !
– Tu as passé une bonne journée à l'école ? demanda Mme Hope en branchant la bouilloire.
– Non, épouvantable. Je n'ai pas arrêté de penser aux chatons de Joanna.
– Tu as téléphoné à Westmoor House ?
Cathy hocha la tête et expliqua à sa mère ce qui s'était passé.
– Je dois livrer des médicaments à la ferme de Syke, dit celle-ci. Viens avec moi, nous nous arrêterons à Westmoor House au passage. Qu'en dis-tu ?
Cathy se leva d'un bond :
– Oh, maman, c'est génial ! Est-ce que James pourra venir avec nous ?
– Oui, si sa mère est d'accord.
Une heure plus tard, quand la Land Rover s'arrêta devant chez James, il attendait devant le portail.
– Je suis tellement impatiente de voir Della ! lui avoua Cathy, tout excitée.

Maman pense que des chats-compagnons, c'est une excellente idée.

Mme Hope acquiesça d'un signe de tête :

– Oui, mais c'est Della qu'il faut convaincre !

Ils arrivèrent devant la maison de retraite au moment où la directrice garait sa voiture.

– Tu nous apportes d'autres gâteaux ? plaisanta-t-elle.

– Non, répondit Cathy. Nous sommes venus vous demander une faveur.

Cathy présenta sa mère, puis commença à exposer la raison de leur visite. Les mots se bousculaient dans sa bouche.

– … et alors on s'est dit avec James que les personnes âgées les aimeraient sûrement…

– Euh… c'est ce qu'on pense, s'empressa d'approuver James en hochant énergiquement la tête.

– Je crois qu'on ferait mieux d'entrer et de tout reprendre depuis le début, dit Della.

Elle conduisit Mme Hope, Cathy et James dans son bureau.

– Bon, si j'ai bien compris, votre amie Joanna a six chatons dont personne ne veut… Et ensuite ?

Cathy termina l'histoire.

– Et le père de Joanna va se débarrasser d'eux, conclut-elle d'un ton désespéré. Dès demain !

– Six chats, dit Della en secouant lentement la tête. Ça fait vraiment beaucoup…

– C'est vrai, mais nous préférerions qu'ils restent ensemble, murmura Cathy.

Della gardait les mains croisées sur son bureau.

– Ce serait affreux pour eux d'être séparés, reprit Cathy. Vous disiez que certains pensionnaires étaient tristes parce qu'ils n'avaient aucune famille. Je

suis sûre qu'ils comprendraient ce que ressentent ces chatons.
Della se leva de sa chaise :
– Tu as raison, Cathy. Allons interroger nos pensionnaires.

9

Della conduisit Cathy, James et Mme Hope dans un grand salon. Quatre vieux messieurs assis autour d'une table jouaient aux cartes. Plusieurs personnes regardaient la télévision. Un vieil homme était assoupi dans un fauteuil et deux dames lisaient des magazines.
Les pensionnaires relevèrent la tête. Intimidée de voir tous les regards se braquer sur elle, Cathy attrapa la main de sa mère.

– Excusez-moi, cria Della en traversant la pièce pour baisser le son de la télévision, cette demoiselle voudrait vous soumettre une idée.

Puis elle prit Cathy par la main et la fit avancer :

– Tu peux raconter ton histoire à tout le monde.

Cathy lança un regard implorant à sa mère, qui l'encouragea d'un petit signe de tête :

– C'est le moment ou jamais !

Sa mère avait raison. Elle avait l'occasion unique de pouvoir sauver six petites vies…

– Eh bien, l'autre jour, je regardais la télévision avec mon grand-père…, commença Cathy.

– Plus fort, lança une vieille dame à l'autre bout de la salle. Nous sommes un peu durs d'oreille.

– Excusez-moi, dit Cathy.

D'une voix forte et assurée, elle parla de

l'émission de télévision sur les chiens-compagnons avant de raconter l'histoire des chatons.
– … Alors j'ai pensé qu'une grande et belle maison de retraite comme celle-ci devrait avoir des chats-compagnons, conclut-elle en balayant la salle du regard. Et que certains d'entre vous seraient très heureux de pouvoir prendre un petit chat sur les genoux.
Tout le monde applaudit en riant de bon cœur.
– Moi, autrefois, j'avais un gros matou noir que j'adorais, dit un des joueurs de cartes. Il me manque.
– Moi aussi, dit une des dames installées devant la télévision.
– J'aimerais bien avoir un chat-compagnon, reprit la dame avant de se tourner vers sa voisine. Et toi, Dora, ça ne te plairait pas ?
Dora hocha la tête en souriant à Cathy.

– J’ai horreur des chats, claironna soudain un des hommes. Ils font un raffut de tous les diables, ils sentent mauvais… Et ils sont bourrés de puces !

Cathy se sentit défaillir.

10

– Oh, Georges ! s'écria Della en allant s'asseoir sur le bras du fauteuil du vieux monsieur. Ces chats sont propres et bien élevés.

Le vieil homme prit un air buté.

– J'ai horreur des chats, répéta-t-il en grommelant.

Une vieille dame, les jambes allongées sur un tabouret, prit la parole.

– Les chats sont adorables, affirma-t-elle. Tu ferais mieux de te taire, Georges.

– Oui, c'est ça, taisez-vous, Georges, dit quelqu'un d'autre.
Cathy eut un peu de peine pour le pauvre Georges.
Della se leva et s'approcha de Cathy.
– La dame assise là-bas, c'est Mme Brown, notre centenaire.
– Oh, murmura Cathy, impressionnée.
Elle avait du mal à imaginer ce que pouvait ressentir une personne qui avait vécu cent ans.
– Viens, je vais te présenter.
Della emmena Cathy et James jusqu'au fauteuil de la vieille dame. Cathy n'avait jamais vu un visage aussi pâle et aussi ridé. La centenaire avait un regard bleu clair d'une infinie douceur.
– Tu aimes les animaux, petite ? demanda-t-elle d'une voix chevrotante.
– Je les adore !
– Eh bien, moi aussi, dit Mme Brown. J'ai eu plusieurs animaux domestiques

quand j'étais jeune, des chats et des chiens.
Elle se tourna vers Della :
– Pourquoi ne pas organiser un vote ?
– C'est une très bonne idée, répondit la directrice.
Elle se plaça au centre de la pièce et frappa dans ses mains.
– Que tous ceux qui sont d'accord pour que nous prenions des chats-compagnons lèvent la main.
Cathy retint son souffle… Une forêt de mains se dressa tout autour d'elle. Presque tous les pensionnaires approuvaient son idée. Elle poussa un soupir de soulagement.
– Et, maintenant, qui est contre ? demanda Della.
Deux hommes levèrent la main. L'un d'eux était Georges, l'homme qui avait horreur des chats. Mme Brown lui jeta un regard furibond. Aussitôt, le vieux monsieur abaissa la main en râlant.

L'autre était un dénommé Tom, qui était assoupi et qui venait d'ouvrir un œil au milieu du vote.

– Ne faites pas attention à Tom, dit Della. Il est toujours contre tout.

Elle s'adressa à Cathy et James avec un grand sourire :

– Alors, vous êtes contents ? Vos chatons viennent de trouver un foyer.

– Oh, merci, Della ! Merci à tous ! s'écria Cathy, folle de joie, en frappant dans ses mains et se jetant au cou de sa mère.

James était tellement ému qu'il n'arrivait plus à parler. Il resta les bras ballants, en souriant jusqu'aux oreilles.

Les trois visiteurs prirent congé des pensionnaires, qui s'étaient mis à discuter entre eux avec animation. Della les raccompagna jusqu'à la porte.

– J'espère que nous trouverons le temps de nous occuper d'eux, dit-elle, un peu inquiète.

– Ils n'ont que six semaines, précisa Mme Hope. Ils ont encore besoin de soins.
– James et moi avons tout prévu, se hâta de dire Cathy. Nous passerons tous les jours en sortant de l'école pour vous aider.
– Dans ce cas..., dit Della.
– Je ne voudrais pas que tu négliges ton travail, dit la mère de Cathy.
– Ne t'en fais pas, maman. D'ailleurs, m'occuper des chatons m'aidera dans ce que j'ai à faire pour l'école.
– Comment cela ? demanda Della.
Cathy lui expliqua qu'elle devait tenir un journal.
– Je parlerai de l'évolution des chatons. Après chaque visite, j'écrirai ce qu'ils ont fait et en quoi ils ont changé. J'en ferai un exemplaire supplémentaire pour vos pensionnaires.
– Vous avez une petite fille très futée, Mme Hope ! remarqua Della.

Elle se tourna vers Cathy :
– Quand penses-tu apporter les chatons ?
– Demain, si ça vous convient, répondit Cathy.
– Très bien. Alors, à demain. Oh, à propos, faut-il les faire vacciner ?
– Oui, mais quand ils seront un peu plus grands, répondit Cathy avant même que sa mère ait ouvert la bouche.
– Je m'en chargerai, dit Mme Hope.
– Merci à vous. Je vais leur préparer un petit coin près de la cuisinière, dit Della. Merci encore, Cathy. Tu viens de faire le bonheur de plusieurs personnes.
– À demain !
– Nous allons passer une journée formidable, s'écria Della. Une fête d'anniversaire… plus six nouveaux pensionnaires !
Cathy chantonna tout le long du trajet de retour. Elle repensa aux chatons blottis contre leur mère dans la cabane humide du jardin de Joanna. Bientôt, ils auraient

un foyer. Elle était sûre que les pensionnaires de la maison de retraite allaient les adorer. Même le vieux Georges !

Lorsqu'ils arrivèrent à la ferme de Syke, la nuit venait de tomber.
– Tu n'auras qu'à appeler Joanna, dit Mme Hope après avoir déposé James. Elle va être aux anges.
Mais quand Cathy composa le numéro de Joanna, elle obtint une tonalité bizarre.
Son père s'approcha pour écouter.
– Le téléphone a été coupé, déclara-t-il, sans doute parce qu'ils déménagent demain matin. Mais si tu y vas de bonne heure, tu les verras avant leur départ. Mettre des meubles dans un camion prend toujours un temps fou.
Cathy s'inquiétait. Et si elle arrivait trop tard ? Et si, pis que tout, le père de Joanna avait déjà mis sa menace à exécution ?

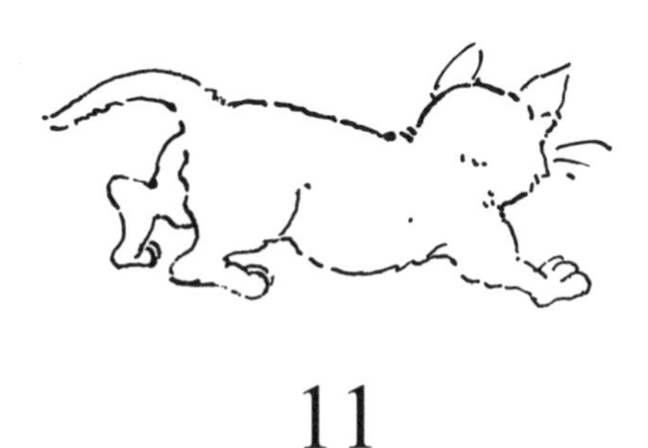

11

– Ils sont partis !

Cathy et James remontèrent l'allée de la maison de Joanna en courant à perdre haleine.

La maison était fermée, silencieuse. La famille Greene était bel et bien partie. Blackie s'élança joyeusement devant eux. Pour lui, une nouvelle maison, c'était toujours une nouvelle aventure.

Cathy frappa à la porte, mais le bruit résonna dans l'entrée déserte. Il n'y avait

personne ! À ce moment, un homme sortit sur le perron de la maison voisine.
– Ils ne sont plus là, leur annonça-t-il. Je les ai vus charger le camion de déménagement hier soir. Ils sont partis il y a une heure.
– Avaient-ils des chatons avec eux ? demanda Cathy, la voix tremblotante.
– Des chatons ? dit l'homme. Je n'en sais rien !
– Alons regarder dans la cabane, suggéra James.
Ils poussèrent la grille qui donnait sur le jardin et coururent jusqu'à la cabane. La porte était grande ouverte.
– Ils ne sont plus là, s'écria James en regardant à l'intérieur.
Cathy se laissa tomber sur la dernière marche et fondit en larmes. Elle était désespérée et préférait ne pas imaginer ce qui avait pu arriver aux chatons.
– Qu'allons-nous dire à Della ?

James s'assit à côté de son amie. Blackie en profita pour faire un tour dans la cabane. Il gratta contre les planches en bois et ressortit, un morceau de vieille couverture entre les dents.

– Lâche ! ordonna James à son chien en attrapant le bout de tissu.

Mais Blackie s'accrocha encore plus fort à son butin, secouant le bout de couverture comme si c'était une proie.

– Blackie ! cria James avec plus de fermeté.

Cette fois, le labrador lâcha prise.

– C'est la couverture des chatons, dit Cathy en pleurant de plus belle.

– Peut-être qu'ils les ont finalement emmenés avec Tibby, dit James pour lui remonter le moral.

– Non, le père de Joanna avait menacé de se débarrasser d'eux.

Blackie entreprit de lécher ses larmes. Elle enfouit son visage dans sa fourrure.

Mais Cathy savait bien que pleurer ne ramènerait pas les chatons ; et puis il fallait dire à Della ce qui s'était passé.

– On devrait prévenir maman, dit-elle en reniflant.

Tous tristes, ils repartirent vers l'Arche des animaux. En chemin, ils rencontrèrent Bill Ward, le facteur, qui garait sa camionnette devant le marchand de journaux. Les enfants lui dirent bonjour.

– Vous n'avez pas l'air très joyeux, remarqua-t-il.

– Nous avons perdu six chatons, répondit James.

– Mais comment peut-on perdre six chatons ? demanda le facteur, surpris.

Cathy lui résuma la situation.

– C'est drôle, dit-il alors, j'ai justement croisé la voiture de John Greene, ce matin. Il se dirigeait vers la route de la lande.

Il salua Cathy et James et redémarra.

12

Cathy le regarda s'éloigner d'un air songeur. Elle savait que la route de la lande conduisait tout droit au refuge de High Tor. Elle y était allée plusieurs fois avec ses parents. Elle se tourna vers James.

– Vite ! dit-elle dans un souffle. Je sais où est allé M. Greene.

– Où ça ? demanda James en lui emboîtant le pas.

Arrivée à la maison, Cathy se précipita

sur son père, qui nettoyait la Land Rover.
– Papa ! cria-t-elle, hors d'haleine. Pourrais-tu nous accompagner au refuge d'animaux de Welford, s'il te plaît ?
M. Hope parut intrigué :
– Pour quoi faire ? Je croyais que vous alliez chercher les chatons.
– C'est ce que nous avons fait. Mais il n'y a personne là-bas ! Je pense que le père de Joanna a déposé les chatons au refuge.
M. Hope ouvrit la portière de la Land Rover :
– En voiture !

Ils traversèrent le village, puis s'engagèrent sur la route de High Tor. Le refuge de Welford, qui appartenait à Betty Hilder, accueillait les animaux perdus ou abandonnés. C'était l'endroit idéal où laisser des chatons.

Devant le refuge, un âne qui broutait dans le champ voisin leur souhaita la bienvenue en poussant un joyeux braiment. Aussitôt, des aboiements lui répondirent dans le chenil installé derrière la maison. Cathy courut jusqu'à la porte et appuya sur la sonnette.

– Je suis là ! cria Betty en sortant d'une grange. Bonjour, Cathy. Qu'est-ce qui t'amène ici ?

M. Hope et James descendirent de voiture, et tous les trois se mirent à parler en même temps.

– Suivez-moi, dit Betty.

Elle les conduisit à l'arrière de la maison, ouvrit la porte de service et les fit entrer dans la cuisine. Devant le poêle, il y avait une boîte en carton.

– Ce sont eux que vous cherchez ?

Le cœur battant à tout rompre, Cathy se laissa tomber à genoux devant la boîte.

Les six minuscules chatons étaient là, roulés en boule et profondément endormis.
– Oui, ce sont bien nos chatons, dit James à M. Hope en s'agenouillant à son tour.
Le vétérinaire prit délicatement un des chatons, qui émit un faible miaulement.
– Il est un peu maigre, constata-t-il en fronçant les sourcils.
Betty le rejoignit :
– Oui, ils sont tout maigrichons. Je les ai trouvés sur le seuil de ma porte à mon réveil. Je leur ai donné du lait tiède.
Elle mit une casserole de lait à chauffer sur la cuisinière tandis que le père de Cathy examinait les autres chatons.
– Comment vont-ils ? demanda Cathy, inquiète. J'ai l'impression qu'ils n'ont pas été très bien soignés.
Le vétérinaire hocha la tête :
– Il faut juste qu'ils prennent un peu de poids. Ils ont l'air en bonne santé, mais ils auront besoin de soins attentifs

pendant quelques jours.
– Comment faire ? se lamenta Cathy. Della va être très occupée avec cette fête à organiser…
– Della ? fit Betty en revenant avec le lait tiède, dont elle remplit trois soucoupes.
James et Cathy installèrent les chatons deux par deux ; ils se mirent aussitôt à laper le lait. Pendant ce temps, Cathy raconta à Betty ce qu'elle avait proposé à Westmoor House.
– C'est fantastique ! s'exclama Betty. Je suis contente de savoir que ces chatons vont rester ensemble. Ils forment une petite famille si charmante…
– Mais je ne sais pas comment Della trouvera le temps de s'occuper d'eux, remarqua Cathy.
– Je m'en serais volontiers chargée, dit Betty, mais le refuge est plein à craquer.
M. Hope tripotait sa barbe d'un air pensif.

– Nous pourrions les prendre quelque temps à l'Arche des animaux, dit-il au bout d'un moment. Je vais prévenir Della de ce petit retard.
Cathy bondit de joie. Six chatons chez elle, dont elle pourrait s'occuper !
– Oh, papa ! s'écria-t-elle.
M. Hope fit un clin d'œil à Betty :
– Mais n'oublie pas que c'est exceptionnel !
Cathy était heureuse. Cette journée allait être l'une des plus belles de toute sa vie.

13

Les chatons se retrouvèrent donc à l'Arche des animaux. Les parents de Cathy lui permirent de les garder dans sa chambre, dans une caisse en bois toute neuve, fabriquée par son grand-père.
Mme Hope fournit six petites jattes pour leur servir du lait. Quant à M. Hope, il dénicha un bac à litière.
Cathy décida de donner un nom à chaque chaton et de l'inscrire dans son journal.
Une petite chatte noire fut baptisée

Coquine. « Noire avec une rayure rousse sur la queue », nota Cathy.

Puis ce fut au tour de l'autre chaton noir.

– Sam, décida-t-elle. C'est un super nom.

Elle écrivit : « Sam est tout noir, avec une petite tache rousse sous un œil. »

Pendant que Cathy continuait à observer les chatons, ils s'amusaient à faire des roulades sur la descente de lit.

– Gingembre, poursuivit Cathy. Ça sonne bien.

Puis elle en baptisa un autre Carotte, parce que sa couleur lui rappelait la couleur des carottes que son grand-père faisait pousser dans son potager, et aussi parce qu'elle pensait que ce nom plairait aux pensionnaires de la maison de retraite.

Il restait encore les deux chatons noir et roux. Le plus petit débordait d'énergie : il s'était mis à escalader la couette pour

grimper sur le lit.
– Je sais ! s'exclama-t-elle. Je vais t'appeler Clown.
Elle se souvint du vieux monsieur qui n'aimait pas les chats.
– Et toi, je vais t'appeler Georges, décida-t-elle en inscrivant le nom à la suite des autres dans son journal. Avec un nom pareil, je ne vois pas comment il pourrait ne pas t'aimer !
Cathy gratta le petit Georges sous le menton.
– Vous êtes tous baptisés, dit-elle. Il ne me reste qu'à vous présenter à vos nouveaux maîtres !
Cathy sentit son cœur se serrer. Les chatons allaient lui manquer tellement ! Elle se consola à l'idée qu'ils auraient beaucoup d'espace, et surtout énormément d'amour. Et puis elle pourrait continuer à les voir aussi souvent qu'elle le voudrait.

14

Quelques jours plus tard, M. Hope jugea que les chatons pouvaient emménager dans leur nouvelle demeure.

– Nous les emmènerons samedi matin, annonça-t-il à sa fille.

Cathy avait passé beaucoup de temps à s'occuper de ses protégés. Chaque matin, avant de partir à l'école, elle les nourrissait et changeait leur litière. Dès que les cours étaient terminés, elle se dépêchait de rentrer pour leur redonner à manger.

Ensuite, elle jouait avec eux jusqu'à l'heure du goûter. Elle se chargeait de faire leur toilette et de lisser longuement leurs poils avec une petite brosse très douce. Tous les jours, elle leur nettoyait les yeux avec un morceau de coton imbibé de sérum physiologique.
Le soir, elle consignait les événements de la journée dans son journal. Elle avait tant de choses à écrire que son carnet était presque rempli.
Après avoir inscrit les noms de tous les chatons, avec des détails sur chacun d'eux, elle avait noté ce qu'ils aimaient manger et les jeux qu'ils préféraient.

Elle faisait maintenant six jours que M. Greene avait déposé les chatons au refuge de Betty.
La veille de leur départ pour la maison de retraite, Cathy ajouta un dernier commentaire :

Sixième jour

Dernier jour à l'Arche des animaux

Matin. J'ai donné le petit déjeuner à Coquine, Carotte, Gingembre, Georges, Clown et Sam. Coquine a pris un peu de lait dans l'assiette de Gingembre, qui a bu dans celle de Sam. Clown a poussé la sienne sous le fauteuil pour prendre son petit déjeuner tranquillement. Il n'aime pas que les autres le dérangent pendant qu'il mange.

Soir. J'ai fait une grande toilette aux six chatons et je les ai brossés. Demain, ils commenceront leur nouvelle carrière de chatons-compagnons à Westmoor House. Georges a fait une bêtise: il s'est caché sous ma table de chevet et ne voulait plus en sortir. Quant à Clown, il a grimpé sur mon lit et est allé se fourrer sous la couette. Quand James est passé me voir, il a failli l'écraser en s'asseyant sur lui. Les autres ont été sages. Je vais être triste de les voir partir.

Cathy rédigea son journal en deux exemplaires : un pour les pensionnaires de Della et un pour l'école, avec l'espoir qu'il serait apprécié de la classe. Qui d'autre aurait la chance d'avoir un sujet aussi intéressant qu'une nichée entière d'adorables chatons ?

15

Le samedi matin, Mme Hope monta dans la chambre de sa fille. Elle portait un grand panier en osier fermé à l'avant par une porte grillagée.

Les protégés de Cathy dormaient paisiblement, blottis les uns contre les autres. La petite fille les souleva à tour de rôle avec fierté. Tous les six avaient le poil bien luisant. Ils bâillèrent, s'étirèrent, puis s'assirent sur leur pattes de derrière et commencèrent leur toilette… C'était un grand jour.

Cathy déposa leur couverture dans le panier, et bientôt tous les chatons furent installés… à l'exception de Clown qui, une fois de plus, avait disparu !
Cathy se mit à plat ventre pour le chercher. Il jouait sous le lit avec un crayon.
– Toujours en vadrouille ! dit-elle en tendant le bras pour l'attraper.
Quand il eut rejoint ses frères et sœurs dans le panier, elle referma la porte grillagée et descendit au rez-de-chaussée.
Dans la cuisine, M. Hope se préparait pour partir en visite.
– Tout est prêt ? demanda-t-il.
– Oui, répondit Cathy sans dissimuler sa peine. Dis au revoir à notre bande de chatons.
Son père se pencha sur le panier :
– Ils sont splendides ! Tu t'es très bien occupée d'eux.
– Merci, papa ! Ils vont vraiment me manquer…

Son père la serra affectueusement dans ses bras :

– Allons ! Rien ne t'empêchera d'aller les voir.

– Oui, je sais, dit Cathy en s'efforçant de sourire. Mais ce ne sera pas la même chose.

Mme Hope tendit à sa fille les clés de voiture.

– Va mettre le panier dans le coffre. Je vérifie juste ma liste des rendez-vous. J'apporterai leur caisse.

En sortant dans la cour, Cathy vit James qui arrivait avec Blackie. Tous deux allaient les accompagner à la maison de retraite.

– Tu as terminé ton journal ? demanda James à son amie.

Cathy se rendit compte qu'elle l'avait oublié dans sa chambre. Elle remonta chercher l'exemplaire destiné à Della. Blackie, qui avait échappé à la sur-

veillance de son maître, la suivit.
– Hé, reviens ! cria James en s'élançant derrière lui.
Mais le labrador était déjà dans l'escalier. Dans la chambre de Cathy, il s'empara du vieil ours en peluche et commença à le secouer dans tous les sens.
– Blackie ! s'écria Cathy tout en prenant son journal sur son bureau.
James les rejoignit, les joues écarlates.
– Désolé, dit-il dans un souffle.
Blackie fila sur le palier. Cathy courut derrière lui.
– Lâche ça ! ordonna-t-elle alors qu'il entrait dans la salle de bains.
Elle répéta d'une voix autoritaire :
– Lâche ça tout de suite !
Blackie laissa tomber le jouet. Cathy lui frotta affectueusement la tête :
– C'est bien, Blackie, tu es un bon chien obéissant !
– Obéissant ! s'exclama James.

– Il faut l'encourager avec des compliments !
– Même quand il vole des affaires ?
– Non, quand il les rapporte ! répliqua Cathy en riant.
Ils regagnèrent le rez-de-chaussée. Mme Hope était encore dans la salle de soins. Cathy s'apprêtait à mettre le panier dans le coffre de la voiture quand elle s'aperçut que la porte grillagée était grande ouverte… et que les chatons n'y étaient plus !

16

– Oh, James ! s'écria-t-elle, affolée.

Comment les chatons avaient-ils pu disparaître en si peu de temps ? Et surtout comment les retrouver ?

Blackie s'approcha du panier pour renifler la couverture. Puis, la truffe au ras du sol, il se dirigea vers un massif d'arbustes.

– Viens, dit James à Cathy. Il a dû repérer leur trace.

Cathy s'accroupit. Deux chatons jouaient

avec des feuilles mortes. Elle poussa un soupir de soulagement.

– Bravo ! dit-elle à Blackie en attrapant Coquine et Gingembre.

Puis elle déposa les chatons dans le panier et referma la porte avec précaution.

James avait couru jusqu'au bout de l'allée.

– Voilà Georges ! s'écria-t-il en prenant le chaton tacheté dans ses bras. Et j'aperçois Sam !

Effectivement, assis au pied d'un arbre, Sam jouait avec une plume.

Cathy balaya la cour du regard :

– Bon… Il nous en manque encore deux, Carotte et Clown. James, où sont-ils ?

Blackie était parti de l'autre côté de la maison. Ils l'entendirent gratter furieusement. Cathy et James coururent le rejoindre. Si quelqu'un était capable de retrouver les deux chatons manquants, c'était bien Blackie !

Mais ils trouvèrent le labrador debout sur ses deux pattes arrière contre la poubelle. Il avait réussi à faire tomber le couvercle en plastique en le poussant du bout du nez. C'était un de ses tours favoris.
Cathy l'attrapa par le collier.
– Les chatons ne peuvent pas être là-dedans, gros bêta ! dit-elle en entraînant le chien.
Soudain, elle perçut un miaulement. Elle se retourna, essayant de comprendre d'où il venait.
James alla vérifier dans la cabane à outils. La porte était fermée. Il revenait vers Cathy quand, à nouveau, ils entendirent des miaulements. À cet instant, le couvercle de la poubelle se mit à bouger. Cathy sursauta et James écarquilla les yeux. Le couvercle avança encore. Blackie aboya et s'éloigna d'un bond.
Cathy poussa un cri. C'étaient les petits fugitifs ! Sous le couvercle, elle découvrit

Carotte, le regard ahuri, dressée sur ses pattes arrière.

– Pauvre Carotte ! dit James.

Cathy prit le chaton. Puis, d'une main experte, elle tâta son dos et ses membres pour s'assurer qu'il n'avait rien de cassé.

– Tout va bien, déclara-t-elle. Blackie, tu es le chien le plus intelligent du monde !

– Et le plus coquin ! ajouta James en embrassant son chien.

Blackie se dégagea de son étreinte et fila vers le portail.

James et Cathy continuèrent à fouiller le jardin, mais il ne virent aucune trace du dernier chaton.

Mme Hope sortit de la clinique avec la caisse en bois.

– Je suis désolée d'avoir mis autant de temps, mais il a fallu que je réponde au téléphone. Allons-y !

Cathy lui résuma la situation.

– Et Clown manque toujours à l'appel, conclut-elle.
– Il n'a pas pu aller bien loin, dit Mme Hope en regardant autour d'elle.
James avait rejoint son chien au pied d'un arbre. Blackie aboyait en regardant en l'air.
– Il est là ! cria James en tendant la main vers une branche. Il est là-haut !
Clown, le plus espiègle de tous les chatons, était agrippé à l'une des plus hautes branches.

17

– Tiens, tiens, mais qu'est-ce que c'est que ça ?
Cathy se retourna et vit Mme McFarlane qui regardait le sommet de l'arbre.
– C'est un chaton, répondit-elle. Il est coincé là-haut.
– Il vaudrait mieux appeler les pompiers, dit la postière. Tu n'arriveras jamais à le faire redescendre.
– Nous allons quand même essayer, dit

la mère de Cathy en allant chercher une échelle.
Malheureusement, elle ne dépassait pas la moitié du tronc. À cet instant, Papy arriva sur sa bicyclette.
– Que se passe-t-il? demanda-t-il à sa belle-fille.
Cathy lui montra Clown perché dans l'arbre.
Son grand-père la regarda en se caressant le menton d'un air songeur:
– Pourquoi n'essaies-tu pas de le convaincre de redescendre?
– Il ne voudra jamais. Il a trop peur!
Ils furent interrompus par la maîtresse de Cathy, qui arrêta sa voiture devant la maison pour découvrir la raison d'un tel attroupement.
– Eh bien, Cathy, tu vas avoir plein de choses à raconter dans ton journal, dit-elle une fois que Mme Hope lui eut tout expliqué.

Cathy s'impatientait : tout le monde parlait de Clown, mais personne ne faisait rien.
– Il vaut mieux appeler les pompiers, dit Mme Hope en se dirigeant vers la maison. Je leur téléphone.
Cathy resta immobile, sans quitter Clown des yeux. Il était allongé sur une branche fragile et semblait complètement affolé. Au moindre mouvement, il risquait de tomber.
– Je t'en supplie, Clown, ne bouge pas…, murmura-t-elle. On va te sortir de là.
Le camion des pompiers s'arrêta bientôt devant l'Arche des animaux. Six hommes à la carrure impressionnante en descendirent.
– Alors, dit leur chef, où est ce fugueur ?
– Là-haut, répondit Cathy en lui indiquant l'arbre d'une main tremblante.
Le chef des pompiers enfila son casque, puis porta la main à sa tempe en faisant un salut :

– Ne vous en faites pas, mademoiselle.
Les pompiers sortirent leur échelle et la déplièrent contre l'arbre. Elle atteignait la branche sur laquelle était tapi le petit Clown. Un des pompiers commença à gravir les barreaux. Une fois arrivé au sommet, il tendit les bras.
Cathy retint son souffle. Les mains du pompier n'étaient plus qu'à quelques centimètres de Clown quand le chaton miaula et recula. Tous les spectateurs poussèrent un soupir de déception. Le pompier redescendit.
– La branche n'est pas assez solide pour supporter mon poids, dit-il.
Tout le monde se lança alors dans une discussion animée.
– Nous allons faire venir une échelle plus grande, décida le chef des pompiers. Je ne prendrai pas le risque de mettre la vie de mes hommes en danger.
Cathy savait qu'il faudrait du temps avant

que l'autre échelle arrive. Elle n'allait pas rester là sans rien faire. Si la branche ne pouvait pas supporter le poids du pompier, elle supporterait sans doute le sien.
En posant un doigt sur ses lèvres, elle jeta un bref coup d'œil à James, qui resta bouche bée lorsqu'il comprit ce que son amie allait faire.
– Non, n'y va pas, souffla-t-il.
Mais la décision de Cathy était prise : elle irait elle-même au secours de Clown.
Aussitôt, elle commença à grimper à l'échelle et continua à gravir les barreaux jusqu'à ce qu'elle eût l'impression de toucher le ciel. Par prudence, elle évita de regarder en bas. Une fois au sommet, elle s'avança à califourchon sur la branche.
– Clown, ne bouge pas, dit-elle avec fermeté.
Le cœur battant, elle s'accrocha solidement à la branche et rampa lentement

vers le chaton. Enfin, elle tendit la main et l'attrapa.
Elle entendit sa mère crier :
– Cathy, fais attention !
Occupée à discuter avec grand-père, elle venait seulement de se rendre compte de ce qu'avait fait sa fille. Celle-ci commença à redescendre prudemment, serrant le petit chat contre elle. Lorsqu'elle se retrouva en bas, tout le monde l'applaudit.
– Tu te rends compte ! Tu aurais pu tomber ! s'exclama sa mère.
Cathy baissa la tête. De retour sur la terre ferme, elle mesurait les risques qu'elle venait de prendre.
– Je suis désolée, maman. Mais je ne pouvais pas laisser le pauvre petit Clown là-haut aussi longtemps.
Mme Hope prit sa fille dans ses bras :
– Ne recommence jamais une chose pareille !

Lorsque Clown se retrouva dans le panier avec les autres chatons, Cathy remercia les pompiers, puis regarda le camion s'éloigner. Ce n'était pas tous les jours qu'un sauvetage aussi périlleux avait lieu dans le petit village assoupi de Welford ! Enfin, les six chatons et leurs gardes du corps prirent la route en direction de Westmoor House.

18

– Tu ferais mieux de laisser Blackie dans la voiture, dit Mme Hope à James quand elle se gara devant la maison de retraite. Il risquerait de semer la panique.
– D'accord, dit le petit garçon en entrouvrant la vitre pour que son chien respire l'air frais.
Un des assistants de Della vint à leur rencontre.
– Entrez, entrez, dit-il. Tout le monde vous attend.

Cathy était tout excitée en arrivant dans la grande salle où étaient réunis tous les pensionnaires.
Tout le monde cessa brusquement de parler. Un homme alla éteindre le poste de télévision.
– Hourra ! s'écria un des pensionnaires. Ils sont là !
Cathy les salua d'un signe de tête en souriant. Della se leva pour les accueillir.
– Nous étions tous très impatients de vous voir, dit-elle en jetant un coup d'œil dans le panier. Oh, comme ils sont mignons ! Venez tous voir !
Cathy posa le panier par terre et sortit un des chatons.
– Voici d'abord Sam…
Elle le confia à une dame assise près de la fenêtre, puis revint prendre un autre chaton.
– Et voilà Carotte !
Tout le monde sourit.

– Quel joli nom ! s'écria un des hommes en tendant les bras. Je peux le prendre ?
James lui porta Carotte. Le chaton enfouit aussitôt le bout de son nez dans le cardigan en laine du vieux monsieur.
– Ça, c'est Coquine, poursuivit Cathy en présentant à l'assistance la petite chatte noire.
Soudain, Coquine lui échappa des mains et sauta à terre. Elle courut vers Mme Brown et entreprit d'escalader maladroitement le pied de son fauteuil. Volant à son secours, Della l'attrapa et la déposa sur les genoux de la vieille dame. Un sourire rayonnant éclaira le visage de la centenaire :
– Merci, Cathy ! Je sens que Coquine va être ma préférée.
– Et voici Clown... Il est très espiègle, dit Cathy en regardant autour d'elle. Qui le veut ?
Une dizaine de bras se levèrent.

– Donne-le à Tom, suggéra Della.

Cathy apporta le chaton au vieux monsieur qui était assis dans un fauteuil, le dos tourné à tout le monde. Elle lui toucha l'épaule :

– Vous voulez le prendre ?

Tom marmonna quelque chose d'incompréhensible.

– Tenez, prenez-le, insista Cathy. Il va vous faire rire.

Lentement, le vieil homme se tourna vers elle et son visage s'illumina.

Lorsque Cathy posa Clown sur ses genoux, il se mit à gratter doucement la tête du chaton.

Il ne restait plus que deux petits chats.

– Et maintenant, voilà Gingembre, dit-elle en sortant le premier.

Gingembre était la plus paresseuse de toute la bande. Elle ouvrit un œil endormi et bâilla à s'en décrocher la mâchoire. Tout le monde éclata de rire.

– Je vais la prendre, dit une vieille dame.
Gingembre leva vers elle un vague regard, puis s'installa en boule sur ses genoux et se rendormit aussitôt. La dame se cala confortablement dans son fauteuil et ferma les yeux elle aussi.
– Et enfin…
Après avoir sorti Georges, Cathy s'avança vers l'homme qui avait prétendu ne pas aimer les chats.
– Celui-là porte le même nom que vous, Georges, dit-elle en observant le vieux monsieur.
Il détourna la tête d'un air réprobateur.
– Il sent mauvais ! déclara-t-il.
– Mais non, pas du tout. Il est tout propre, et son poil est magnifique. Vous ne l'avez même pas regardé !
Le vieux Georges se tourna vers Cathy, puis regarda le chaton en haussant les épaules :
– Si personne d'autre n'en veut…

– Si, moi ! fit une voix à l'autre bout de la salle.

Georges arracha quasiment le chaton des bras de Cathy.

– Ah non, pas question, grommela-t-il. Celui-là est à moi !

– Oh, mon Dieu ! dit tout bas Mme Hope. Pourvu qu'ils ne se disputent pas à cause des chats !

Della éclata de rire.

– Je suis sûre qu'ils vont s'arranger entre eux, dit-elle avant de se tourner vers Cathy et James. Merci à tous les deux.

Cathy sortit alors de sa poche le journal et le tendit à Della.

– Tenez, c'est pour vous, dit-elle d'une voix timide.

Della ouvrit le journal. À côté du texte, Cathy avait dessiné un portrait de chacun des chatons.

– C'est ravissant, s'extasia Della.

Le journal circula de main en main,

tandis que des « oh ! » et des « ah ! » retentissaient dans la salle.
– Vous avez eu une belle fête d'anniversaire ? demanda Cathy à Mme Brown.
– Oh oui, c'était merveilleux ! répondit la vieille dame.
– Vous avez reçu des cadeaux ?
– Oui. Mais ces chatons sont le plus beau cadeau dont je pouvais rêver.
La mère de Cathy jeta un coup d'œil sur sa montre.
– Il va falloir songer à partir, dit-elle. J'ai encore plusieurs visites.
– Nous reviendrons demain vous aider à les nourrir, promit Cathy.
– C'est très gentil, fit Della, mais j'ai l'impression que les volontaires ne manqueront pas pour s'occuper de nos nouveaux pensionnaires. Tu viens de les rendre heureux.
– Ce n'est pas moi ! C'est les chatons ! répondit Cathy.

Dans la voiture, James s'installa sur la banquette arrière avec Blackie.

– Vous croyez qu'un chien-compagnon leur ferait plaisir ? plaisanta-t-il, tout en empêchant son labrador de mâchouiller la ceinture de sécurité.

Mme Hope pouffa de rire :

– Un comme Blackie, ça m'étonnerait ! Ils ne sauraient plus où donner de la tête !

19

Dans la cour de l'école, le lundi suivant, les élèves parlèrent du journal qu'ils avaient tenu pendant la semaine.
– Je n'avais rien de très intéressant à dire, déplora un des garçons. À part aller à l'école, manger et regarder la télé, je n'ai rien fait.
– Moi, j'ai passé le week-end chez ma tante, dit une autre élève.
Ils se mirent à parler tous à la fois :
– Mon frère s'est cassé la jambe en jouant au football !

– Moi, je suis allée à Walton, et mes parents m'ont acheté une nouvelle paire de chaussures.
– Eh bien, moi, j'ai pris le tunnel sous la Manche ! C'était génial !
Finalement, le moment arriva où tous les élèves durent lire leur journal devant la classe. Cathy pensa qu'elle avait raconté tellement de choses qu'il lui faudrait sans doute l'heure entière pour lire le sien.
Lorsque son tour arriva, elle se leva et s'éclaircit la gorge.
– Le journal des chatons, dit-elle d'une voix forte.
Son trac s'envola d'un seul coup.
– Une semaine dans la vie de six chatons. Premier jour…
Lorsqu'elle eut terminé, la classe applaudit avec enthousiasme.
– C'est très bien, Cathy, la félicita Mme Todd.
Quand tous les élèves eurent fini de lire

leur journal, la maîtresse s'adressa à l'ensemble de la classe :
– Vous avez tous très bien travaillé. À présent, vous allez prendre un morceau de papier et inscrire le nom de l'élève dont vous avez préféré le journal.
La maîtresse attendit quelques minutes avant de ramasser les bulletins de vote. Elle alla ensuite s'asseoir derrière son bureau pour les compter ; puis elle releva la tête, un grand sourire aux lèvres :
– Le prix est attribué à... Cathy Hope ! Bravo, Cathy ! Je te félicite.
Cathy devint aussi rouge qu'une pivoine.
Mme Todd ouvrit le tiroir de son bureau et elle en sortit un paquet :
– Tu peux venir chercher ta récompense, Cathy.

À la fin des cours, Cathy montra son prix à James. C'était un livre sur les animaux de la forêt tropicale.

– Ouah ! s'exclama le garçon en regardant une page où figurait un tigre. Je n'aimerais pas trop devoir m'occuper de celui-là…

– Oh, moi, si ! J'adorerais ça ! lança Cathy en sautant sur son vélo.

Les cheveux au vent, les deux amis traversèrent la place du village. Après avoir dit au revoir à James, Cathy continua vers l'Arche des animaux.

Quand elle s'engagea dans l'allée pavée de briques, elle se sentit toute triste à l'idée que les chatons ne seraient pas là pour l'accueillir. Ils allaient beaucoup lui manquer. Elle secoua la tête pour chasser cette pensée et se dit qu'elle pourrait les voir à Westmoor House aussi souvent qu'elle le voudrait, et cette idée lui remit un peu de baume au cœur.

Lorsque Cathy entra dans la maison, elle vit une enveloppe adressée à son nom, posée sur la table de la cuisine. Elle l'ouvrit et en sortit une carte de Westmoor House, signée par tous les pensionnaires. « Merci pour les chatons-compagnons. Tous les six sont charmants. Reviens nous voir très bientôt. »

Un sourire béat aux lèvres, Cathy se laissa tomber sur une chaise. Il n'y avait pas de doute : avoir trouvé un foyer aussi merveilleux pour toute une bande de chatons en rendant heureuses autant de personnes était l'une des meilleures choses qu'elle eût jamais faites de sa vie.

FIN

Partage ta passion des chiens avec Neil et Emily !

101. Dotty fait des bêtises
104. Pagaille au chenil
105. Un chien pas comme les autres
106. Jason a deux maisons
107. Nelly est innocente !
108. Tuff n'a peur de rien !
109. Griffou, chien des rues

Partage ta passion des animaux avec Cathy et James !

201. Six chatons cherchent une maison
204. Un poney très courageux
205. La bande des cochons d'Inde
208. Dressons Boule de Poils !
209. Foudre ne renonce jamais !

Imprimé en Allemagne par CPI – Clausen & Bosse